Catherine LE HELLAYE

Farandole 1

Méthode de français

Dessins de Josette VIÑAS Y ROCA

HATIER / Didier

SOMMAIRE

Salut les amis ! - Page 4

À l'école - Page 10

La toupie - Page 12

Le bonhomme - Page 14

L'histoire du Petit Chaperon Rouge - Page 16

Le goûter - Page 22

Comment es-tu habillé ? - Page 24

L'anniversaire - Page 26

C'est bientôt Noël - Page 28

Le bonhomme de neige - Page 30

Il pleut - Page 36

Les marionnettes - Page 38

Le carnaval à l'école - Page 40

Un chien à l'école - Page 42

L'histoire de Cendrillon - Page 44

Un jardin dans la classe - Page 50

La dispute - Page 52

Le secret des dents - Page 54

La fête de l'école - Page 56

Le grand livre des fées - Page 58

© Les Éditions Didier - Paris 1992   ISBN 2 278 04196 7   Printed in France

Ah, salut Cécile!

Ah, salut Cécile!
Bonjour mon ami Romain!
On va tous bien s'amuser
Pendant toute cette année.
Jouons en français la 1ère,
Chantons en français lala,
Passe par ici et moi par là,
Au revoir, à bientôt,
On se reverra!

trois

sont les lettres
de l'alphabet.
a b c d e f g h i
j k l m n o p q r s t u v w x y z
a b c d e f g
voilà l'alphabet français.

Salut les amis !

cinq

5

sept

neuf

"Un, deux, trois, je vais dans les bois"

Un, deux, trois, je vais dans les bois,

Quatre, cinq, six, cueillir des cerises,

Sept, huit, neuf, dans mon panier neuf,

Dix, onze, douze, des cerises toutes rouges.

Règle du jeu: Dis ton prénom, lance la balle à un copain (ou à une copine). Demande à ce copain de dire son prénom.

10 dix

— Bonjour!
— Bonjour!

— Tu t'appelles comment?
— Romain. Et toi, comment tu t'appelles?
— Moi, je m'appelle Cécile.
  Tu as quel âge?
— Huit ans, et toi?
— Moi, j'ai sept ans.

— Tu es dans
  quelle classe?
— Je ne sais pas.
— Tu es mon
  copain?

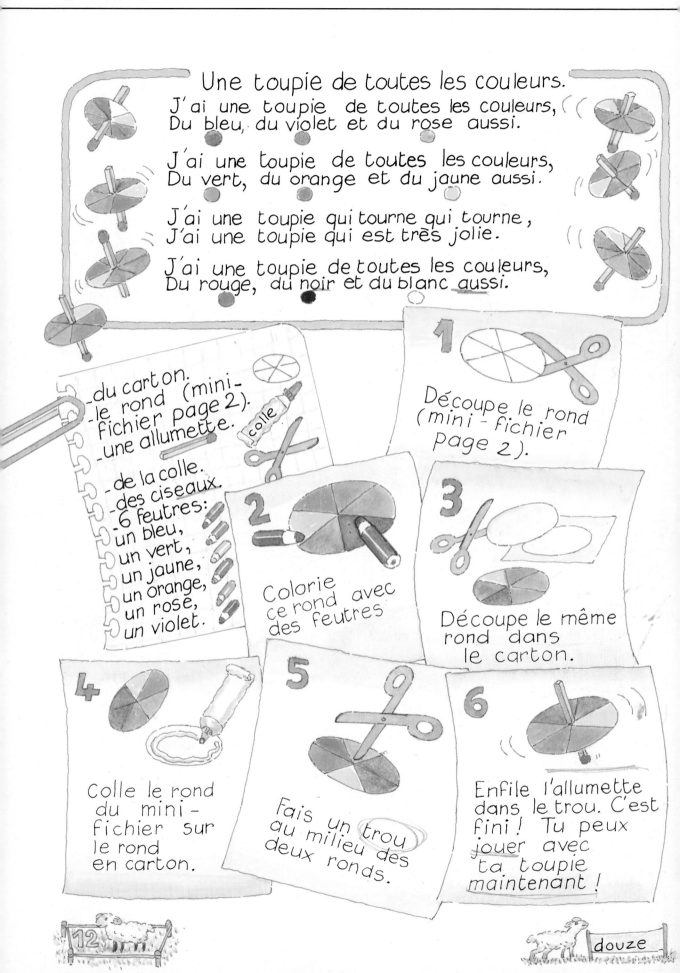

Une toupie de toutes les couleurs.

J'ai une toupie de toutes les couleurs,
Du bleu, du violet et du rose aussi.

J'ai une toupie de toutes les couleurs,
Du vert, du orange et du jaune aussi.

J'ai une toupie qui tourne qui tourne,
J'ai une toupie qui est très jolie.

J'ai une toupie de toutes les couleurs,
Du rouge, du noir et du blanc aussi.

-du carton.
-le rond (mini-fichier page 2).
-une allumette.
-de la colle.
-des ciseaux.
-6 feutres:
un bleu,
un vert,
un jaune,
un orange,
un rosé,
un violet.

1 Découpe le rond (mini-fichier page 2).

2 Colorie ce rond avec des feutres

3 Découpe le même rond dans le carton.

4 Colle le rond du mini-fichier sur le rond en carton.

5 Fais un trou au milieu des deux ronds.

6 Enfile l'allumette dans le trou. C'est fini! Tu peux jouer avec ta toupie maintenant!

La toupie

— Attention, les enfants! Taisez-vous!
Écoutez maintenant! Écoutez bien!

— Nous allons fabriquer une toupie de
toutes les couleurs.
Pour faire la toupie, il faut : un rond
en carton, une allumette, de la colle,
des ciseaux, six feutres : un bleu,
un vert, un jaune, un orange, un rose
et un violet.

— Maîtresse, tu peux
répéter s'il te plaît?
Je ne comprends
pas.

— Oui, je vais répéter.
On va expliquer.
Voici une feuille pour
fabriquer la toupie!
— Ah! Ah! Ah!
— Retournez à vos places!

— Cécile, distribue
les feuilles
s'il te plaît!
Donne une
feuille
à chaque élève!
Merci!

Alain   Cécile

treize

13

Savez-vous planter les choux?

Savez-vous planter les choux
À la mode, à la mode,
Savez-vous planter les choux
À la mode de chez nous?

On les plante avec le pied
À la mode, à la mode,
On les plante avec le pied
À la mode de chez nous.

On les plante avec le doigt...
On les plante avec le coude...
On les plante avec le nez...
On les plante avec l'oreille...

- les formes du corps.
- des attaches parisiennes ou de la colle.
- des ciseaux.

1 Découpe les parties du corps dans ton mini-fichier page 2.

2 Fais des trous sur les points.

3 Monte le bonhomme.

4 Enfile une attache dans chaque trou ou colle les morceaux.

5 Voilà ! C'est fini. Tu peux jouer avec ton bonhomme maintenant.

Le bonhomme

— Youpi! Je suis la première!
— Non! Pauline, le bonhomme!
— Et voilà, il tombe. Zut!

— Ah, C'est malin!
  Le bonhomme est cassé!
— C'est moi, maîtresse!
  Pardon!

— Bon, on refait le bonhomme.
  Venez ici!
— J'ai un pied, moi!
— Sous la chaise, il y a un bras!

— Voilà le cou!
  Qu'est-ce qu'on met après?
— La tête.
— Oui, donne. Merci.

Unité 5

L'histoire du Petit Chaperon Rouge

Le coin des surprises

Le boogie woogie de mes amis

Je mets mon bras droit en avant!
Je mets mon bras droit en arrière!
Et puis je tourne, je tourne, je tourne,
Je tourne sur moi-même!
Je fais le boogie woogie!
Et je m'en vais plus loin!

Je mets mon bras gauche en avant!
Je mets mon bras gauche en arrière!
Et puis je tourne, je tourne, je tourne,
Je tourne sur moi-même!
Je fais le boogie woogie!
Et je m'en vais plus loin!

Je mets ma jambe droite en avant!
Je mets ma jambe droite en arrière!
Et puis je tourne, je tourne, je tourne,
Je tourne sur moi-même!
Je fais le boogie-woogie!
Et je m'en vais plus loin!

Je mets ma jambe gauche en avant!
Je mets ma jambe gauche en arrière!
etc.

Le gâteau du Petit Chaperon Rouge

Pour faire le gâteau, il faut...

farine de blé : 5 cuillères.

sucre : 4 cuillères

lait : 3 cuillères.

huile d'arachide : 2 cuillères.

œufs : 2.

beurre : 1 cuillère.

levure : 1 sachet.

Un saladier

Une cuillère

Un moule à cake.

① Mets 5 cuillères de farine et casse 2 œufs dans le saladier. Mélange avec la cuillère.

② Ajoute 4 cuillères de sucre et la levure.

③ Ajoute 3 cuillères de lait et 2 cuillères d'huile. Mélange bien.

④ Beurre le moule.

⑤ Verse le tout dans le moule.

⑥ Mets le moule dans le four pendant 25 mn, thermostat 4.

Le coin des surprises

J'aime la galette

1. J'aime la galette,
   Savez-vous comment?
   Quand elle est bien faite,
   Avec du beurre dedans!

   La la la la
   La la la la lère
   La la la la
   La la la la la

2. ... Avec des œufs dedans!
3. ... Avec du lait dedans!

Barbara: Qu'est-ce que tu veux, de la poire ou de la banane?
Mourad: Je voudrais de la banane, s'il te plaît.
Barbara: Tiens, qu'est-ce que c'est?
Mourad: Ce n'est pas de la banane, c'est de la poire!

Le goûter

Unité 7

Promenons-nous dans les bois

Promenons-nous dans les bois,
Pendant que le loup n'y est pas.
Si le loup y était,
Il nous mangerait.
Mais comme il n'y est pas,
Il ne nous mangera pas.

Loup y es-tu?
Oui!
Entends-tu?
Oui!
Que fais-tu?
Je mets ma chemise.
Je mets mes chaussettes.
Je mets mon pantalon.
Je mets ma ceinture.
Je mets mon gilet.
Je mets mes chaussures.
Je mets mon blouson.
Je mets mon chapeau.

Promenons-nous dans les bois,
Pendant que le loup n'y est pas.
Si le loup y était,
Il nous mangerait.
Mais comme il n'y est pas,
Il ne nous mangera pas.
Loup y es-tu?
Oui!
Entends-tu?
Oui!
Que fais-tu?
Je suis prêt, je sors!

Comment es-tu habillé ?

— Cécile, tu viens jouer ?
— Non, je ne peux pas.

— Pourquoi ?
— Parce qu'il pleut
et je n'ai pas de capuche.
Je n'ai pas de bottes non plus.
Je ne veux pas me mouiller.
— C'est dommage !
On s'amuse bien sous la pluie !

L'anniversaire de mon copain

C'est l'anniversaire de mon copain,
Il a huit ans et c'est très bien.
C'est l'anniversaire de mon copain,
On fait la fête et c'est très bien.
Il a huit ans, il est content et nous aussi!

Pour l'anniversaire de mon copain,
On va chanter et c'est très bien!
Pour l'anniversaire de mon copain,
On va danser et c'est très bien!
À sept-huit ans, on est des grands
Et vous aussi.

Venez ici tous les amis :
Renaud va souffler les bougies!
Ouvre ton cadeau, c'est le moment!
Ouvre-le vite et regarde dedans!
Es-tu content?
Es-tu content?
Es-tu content?

L'anniversaire

- C'est ici!
- Attends, c'est moi qui sonne.
    - Bon, vas-y!

- Ah, bonjour madame, bonjour Cécile, bonjour Romain!
- Bonjour Renaud, bon anniversaire!

- Merci, vous êtes gentils!
- Bonjour madame, bonjour les enfants! Entrez!

- On donne les cadeaux maintenant?
- Ben oui!
- Tiens Renaud, c'est pour toi!
- Merci.
- Vite, ouvre!
- Oh, une nouvelle voiture! Génial!

- Et toi, qu'est-ce que tu offres à Renaud?
- Un robot.

- Voilà, j'apporte le gâteau!
    - Qu'il est beau!
    - Renaud, vite, souffle les bougies, toutes les bougies!

- Bravo, bon anniversaire!
- Et si on chantait maintenant?

C'est bientôt Noël!

Super, c'est bientôt Noël!
On va s'amuser ensemble.
C'est sûr, on va rire et chanter.
Venez, les copains, on va jouer!

Noël, joyeux Noël!
Bons baisers de toute la France!
Partout on va bien manger,
On va bavarder et puis danser!

Super, c'est bientôt Noël!
Moi, j'aime le mois de décembre!
Ensemble on va rire et chanter,
Les yeux tournés vers la cheminée.

Noël, joyeux Noël!
Bons baisers de toute la France!
On va tous bien s'amuser,
Avec la famille cette année!
Mm mm...

La guirlande

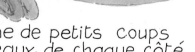

① Découpe une bande de papier de couleur.

② Donne de petits coups de ciseaux de chaque côté.

③ Ta guirlande est finie! Tu peux décorer ta classe maintenant.

— Eh, regarde : il y a un sapin dans la classe !
— Super ! C'est bientôt Noël !
— Dis maîtresse, on va le décorer, le sapin ?
— Oui, bien sûr.

Les lettres de l'al...

A a a   B b b   C c c   D d d
I i i   J j j   K k k   L l l
R r r   S s s   T t t   U u u

C'est bientôt Noë...
Aujourd'hui, dans la...
nous allons décorer...
avec des boules et...
guirlandes. Nous a...
aussi une étoile po...
tout en haut du sapir...

lundi   mardi   mercredi

— Allez, asseyez-vous, s'il vous plaît !
— Elles sont belles, les guirlandes !
— L'étoile aussi, elle est belle.
— Chut !...

— Comment est-ce qu'on va décorer ce sapin ?
— Ben, on va le décorer avec les boules et les guirlandes.
— On peut mettre l'étoile en haut, maîtresse.
— Oui, d'accord !

— Bon, Romain, monte sur une chaise. Fais attention...
— Tiens, attrape !
— Voilà. On peut mettre les boules et les guirlandes dans le sapin maintenant ?
— Oui, mais ne cassez rien !

Le bonhomme de neige

il neige   la neige   un bonhomme de neige   des gants   un bonnet

Le coin des surprises

L'histoire du Père Noël

1 – Père Noël, Père Noël,
Qui es-tu?
– Un vieux monsieur.

2 – Père Noël, Père Noël,
Comment es-tu?
– Je suis barbu.

3 – Père Noël, Père Noël,
Où es-tu?
– Bien caché.

4 – Père Noël, Père Noël,
Que fais-tu?
– Je vais m'habiller.

5 – Père Noël, Père Noël,
Quand viens-tu?
– Ben, le 24!

6 – Père Noël, Père Noël,
Où passes-tu?
– Par la cheminée.

7 – Père Noël, Père Noël,
Comment viens-tu?
– Ben, pas à pied.

8 – Père Noël, Père Noël,
Qu'apportes-tu?
– Plein de jouets.

9 – Père Noël, Père Noël,
Le promets-tu?
– Oui, c'est juré!

10 J'ai des cadeaux pour toi,
Ta maman, ton papa,
Ton frère, ta sœur
Et puis tous tes amis aussi.

11 J'ai des cadeaux pour vous,
Des paquets, des jouets,
Des boîtes de chocolats
Et puis des livres aussi.

Le coin des surprises

	Voilà un loup.		Il est dans les bois.	Dessine-le dans ton cahier page 30.
	Voilà des loups.		Ils sont dans les bois.	Dessine-les dans ton cahier.
	Voilà un saladier.		Il est sur la table.	Dessine-le dans ton cahier.
	Voilà des saladiers.		Ils sont sur la table.	Dessine-les dans ton cahier.
	Voilà une grenouille.		Elle est dans les bois.	Dessine-la dans ton cahier.
	Voilà des grenouilles.		Elles sont dans les bois.	Dessine-les dans ton cahier.
	Voilà une bougie.		Elle est sur le gâteau.	Dessine-la dans ton cahier.
	Voilà des bougies.		Elles sont sur le gâteau.	Dessine-les dans ton cahier.
	Voilà une grenouille et un loup.		Ils sont dans les bois.	Dessine-les dans ton cahier.
	Voilà un saladier et une cuillère.		Ils sont sur la table.	Dessine-les dans ton cahier.

 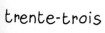

Jouons en français

un chat — un chien — la pluie — un réveil — un loup

un coq — un téléphone — des chats — une voiture de police — des téléphones

une vache — une poule — des réveils — une grenouille — des vaches

un chien et un chat — des poules — des grenouilles — des voitures de police — des loups

Mélange bien les cartes.

Distribue 9 cartes à chaque joueur.

Papa, dans la famille des fruits, je voudrais la cerise, s'il te plaît.

Tiens, voilà la cerise.

Merci. Encore à moi. Dans la famille des fruits, je voudrais la banane.

Je n'ai pas de banane. Prends une carte.

D'accord! Ce n'est pas bon. À toi.

Ça y est! J'ai une famille!

Le coin des surprises

© Dargaud éditeur, 1971

© 1973 by Franquin and Éditions Dupuis

© Casterman 1991

trente-cinq

Il pleut

Il pleut, il mouille,
C'est la fête à la grenouille!
La grenouille a fait son lit
Dans le trou de la souris!

Il neige, il gèle,
C'est la fête aux hirondelles!
Toutes se sont envolées
Vers la Méditerranée.

Il pleut, il mouille,
C'est la fête à la grenouille!
Il pleut, il fait chaud,
C'est la fête au crapaud!

Le temps aujourd'hui en France

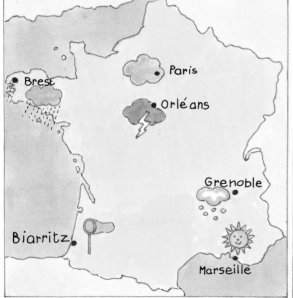

	Biarritz	Brest	Grenoble	Marseille	Orléans	Paris
☀						
☁						
🌧						
🔭		✕				
🌨						
⛈						

– Passe le ballon, Romain !
– Vite, attrape !

– Fais attention !
– Ce n'est pas facile : il y a du vent.

– Il pleut, il faut rentrer dans le gymnase. Ramassez vos affaires.
– C'est dommage ! J'aime bien ce jeu.

– Qui a le ballon ?
– C'est moi !... Brr... il fait froid.
– Dépêche-toi si tu ne veux pas te mouiller.

– Ah, ici, il fait chaud !
– Est-ce qu'on peut jouer à « Jacques a dit », s'il te plaît ?
– D'accord ! Asseyez-vous tous en rond !

Les petites marionnettes

Ainsi font, font, font,
Les petites marionnettes,
Ainsi font, font, font,
Trois petits tours et puis s'en vont.

Les mains aux côtés,
Sautez, sautez marionnettes!
Les mains aux côtés,
Marionnettes recommencez!

Ainsi font, font, font,
Les petites marionnettes,
Ainsi font, font font,
Trois petits tours et puis s'en vont.

Les petits poings fermés,
Sautez, sautez marionnettes!
Les petits poings fermés,
Marionnettes sautez, sautez!

[Sautez, sautez! Arrêtez! Asseyez-vous! Respirez bien!
Fermez les yeux!]

Trouve la marionnette qui parle français.
C'est une petite fille. Elle a les yeux verts. Elle est blonde. Elle a les cheveux longs. Elle porte une robe blanche et une ceinture rouge.

Les marionnettes

Le carnaval

C'est le carnaval, c'est Mardi-Gras,
Je prépare mon costume, mon masque et mes lunettes.
C'est le carnaval, c'est Mardi-Gras,
Pour le déguisement, je suis le roi.

C'est le carnaval, c'est Mardi-Gras,
Je vais défiler avec la fée Clochette,
C'est le carnaval, c'est Mardi-Gras,
Madame, danserez-vous avec moi?

C'est le carnaval, c'est Mardi-Gras,
Je prends la farine pour préparer les crêpes.
C'est le carnaval, c'est Mardi-Gras,
Après le défilé, on les mangera.

Le chapeau de carnaval

Découpe la feuille comme sur le dessin. (Tu peux demander au professeur de faire le trait).

Pour faire le chapeau, il faut:
- une feuille de papier cartonné (40 × 40 cm)
- de la colle
- des feutres ou de la peinture
- des ciseaux
- des morceaux de papier de toutes les couleurs
- du coton.

Décore la feuille avec:

Des ronds pour le chapeau de clown,

des étoiles pour le chapeau de fée,

du coton pour le chapeau du Père Noël.

Colle les bords de la feuille l'un sur l'autre.

Le chapeau est fini. Tu peux le mettre et te déguiser avec.

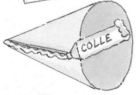

quarante

Aujourd'hui CARNAVAL de l'école
- Déguisement des enfants
- Défilé dans les rues.
- Goûter.

— Comment est déguisée Cécile?
— En clown, elle aussi.

— À qui est ce chapeau de fée?
— À moi, maîtresse.
— Alors, mets-le.

— Tu es déguisée comment?
— Regarde... en fée!
— Alors n'oublie pas ta baguette.

— Nous allons sortir pour le défilé.
Venez s'il vous plaît!

— J'aime bien le chapeau de Pierre.
— Moi, je préfère les chapeaux de fées.

— Tu veux une crêpe avec de la confiture?
— Non, je n'aime pas la confiture. Je préfère une crêpe avec du sucre.
— Mm, j'adore les crêpes!

Mes animaux

J'ai un petit poisson
Qui nage tout en rond.
J'ai un petit oiseau
Qui vole très très haut.
J'ai un très gros chat
Qui ne mange pas les rats
Et un très vieux chien
Qui ne fait vraiment rien.

Je les aime bien mes petits amis.
Quand on est ensemble,
Jamais on ne s'ennuie.

Je les aime bien mes petits copains.
Toujours avec eux,
Je suis très heureux.

Pigeon vole

La grenouille vole.

Mais non, ça ne vole pas, une grenouille !

Règle du jeu

Les enfants sont assis en rond. Un seul est au milieu. Avec ses mains, il fait "   " et dit le nom d'un animal ou d'une chose.   " Les autres joueurs font comme lui si l'animal (ou la chose) peut voler.

quarante-deux

– Non? Oh zut... Viens ici!
– Mais qu'est-ce qui se passe ici?

– Stop!
– Arrête!

– Enfin!
– C'est ton chien? Comment il s'appelle?
– Il s'appelle Arthur.

– Il est méchant? Est-ce qu'il mord?
– Non, il est gentil. Tu peux le caresser.

– Il est beau ton chien!
– Oui, et il est intelligent aussi! Regardez bien : allez Arthur, donne la patte!

– Maîtresse, est-ce qu'Arthur peut venir dans la classe avec nous ce matin?
– Arthur, qui est-ce?

– C'est le copain de Pierre.

quarante-trois

43

L'histoire de Cendrillon

un bal

un pont

une lampe

Préparons des crêpes !

Pour faire 20 crêpes, il faut ...

Farine		10 cuillères
Sucre		2 cuillères
Lait		½ litre
Huile		2 cuillères
Œufs		2
Sel		1 pincée

un saladier

une cuillère

une poêle

1 Mets la farine et les œufs dans le saladier. Mélange bien.

2 Ajoute l'huile, le sucre et le sel. Mélange bien.

3 Ajoute le lait doucement et mélange encore.

4 Si tu le peux, attends une heure avant de faire cuire les crêpes.

5 Mets un peu d'huile dans la poêle et fais-la chauffer.

6 Mets 2 cuillères de pâte dans la poêle puis étale la pâte en agitant la poêle.

7 Fais cuire la crêpe d'un côté.

8 Retourne la crêpe et fais-la cuire de l'autre côté.

9 Tu peux manger la crêpe avec du sucre ou de la confiture. Bon appétit !

OBSERVE

un	mon			
le	ton	robot	beau	bleu
ce	son		blanc	blond

des	mes			
les	tes	robots	beaux	bleus
ces	ses		blancs	blonds

une	ma			
la	ta	poupée	belle	bleue
cette	sa		blanche	blonde

des	mes			
les	tes	poupées	belles	bleues
ces	ses		blanches	blondes

Fabrique ton aide-mémoire

1 Découpe les trois ronds du mini-fichier, pages 10-11

2 Découpe la partie hachurée comme sur le dessin.

3 Fais un trou au milieu des trois ronds, sur les points.

4 Enfile une attache parisienne.

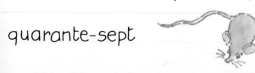

Les crêpes

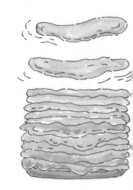

Quand on fait des crêpes chez nous,
Maman nous invite.
Quand on fait des crêpes chez nous,
Elle nous invite tous!
Une pour toi,
Une pour moi,
Une pour mon petit frère François,
Une pour toi,
Une pour moi,
Une pour tous les trois.

Sur le pont d'Avignon

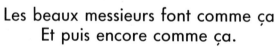

Sur le pont d'Avignon,
On y danse, on y danse,
Sur le pont d'Avignon,
On y danse tout en rond.

Les beaux messieurs font comme ça
Et puis encore comme ça.

Sur le pont d'Avignon,
On y danse, on y danse,
Sur le pont d'Avignon,
On y danse tout en rond.

Les belles dames font comme ça
Et puis encore comme ça.

Sur le pont d'Avignon,
On y danse, on y danse,
Sur le pont d'Avignon,
On y danse tout en rond.

Mademoiselle voulez-vous?

Mademoiselle voulez-vous
Faire une danse, faire une danse?
Mademoiselle voulez-vous
Faire une danse avec moi?

Non, monsieur je ne veux pas
Faire une danse, faire une danse
Non, monsieur je ne veux pas
Faire une danse avec vous.

Mademoiselle voulez-vous
Faire une danse, faire une danse?
Mademoiselle voulez-vous
Faire une danse avec moi?

Oui, monsieur je veux bien
Faire une danse, faire une danse
Oui, monsieur je veux bien
Faire une danse avec vous.

On se prend par la main
Et on danse, et on danse
On se prend par la main
Et on danse comme ça.

Mademoiselle voulez-vous
Que l'on danse, que l'on danse?
Mademoiselle voulez-vous
Que l'on danse comme ça?

On se prend par le bras
Et on danse, et on danse
On se prend par le bras
Et on danse comme ça.

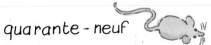

Une fleur

J'ai cueilli trois fleurs des champs,
Mais la plus jolie que j'aime tant,
Mais la plus jolie,
C'est pour maman.

J'ai trouvé trois cailloux blancs,
Mais le plus joli que j'aime tant,
Mais le plus joli,
C'est pour maman.

Fabrique un mini-jardin

Pour faire ce mini-jardin, il faut :

de la terre , des pots
(tu peux prendre des pots de yaourts
et des graines, par exemple des graines de haricots.

① Fais un petit trou dans les pots.

② Mets de la terre dans les pots.

③ Fais un petit trou dans la terre avec ton doigt.

④ Mets 2 ou 3 graines dans le trou.

⑤ Remets de la terre sur les graines.

⑥ Arrose le pot tous les 2 ou 3 jours.

cinquante

Un jardin dans la classe

— Aujourd'hui, nous allons fabriquer un mini-jardin. Vous prenez le matériel sur la table.
— Oh, regarde! Des pots, de la terre et des graines!

— Qu'est-ce que c'est, ces graines?
— Vous lisez les étiquettes et vous choisissez les graines que vous voulez.

— Qu'est-ce que tu choisis, Renaud?
— Heu!...
Je vais prendre des graines de radis et des graines de haricots.

— Les radis de Renaud poussent vite!
— Oui, ils sont plus grands que les radis de Pauline.

— Pourquoi mes fleurs ne poussent pas?
— Il faut les arroser. Regarde, Thui arrose ses fleurs tous les jours. Elle a les plus belles fleurs de la classe.

 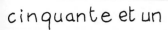 

La dispute

Un gars, une fille,
Sur des tabourets,
Jouent aux cartes,
Et puis se disputent.

La fille en colère
Prend le gars par les cheveux,
Et le jette par terre,
Puis arrête le jeu.

Un gars, une fille,
Sur un canapé,
Jouent au loto,
Et puis se disputent.

Le gars en colère
Prend la fille par les cheveux,
Jette le loto par terre,
Puis arrête le jeu.

Test : Es-tu un bon copain ou une bonne copine ?

Lis les questions et choisis tes réponses : A ou B

① As-tu des amis ?
A:oui _ B:non

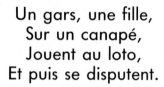

② Est-ce que tu aimes jouer avec tes copains ?
A:oui _ B:non

③ Un copain veut ton jouet, que fais-tu ?
A:Je lui prête le jouet et je lui dis de faire attention.
B:Je ne veux pas lui prêter mon jouet.

④ Est-ce que tu te disputes souvent avec tes copains ?
A:non _B:oui

⑤ Quand tu joues avec tes copains, est-ce que tu te mets souvent en colère ?
A:non _ B:oui

Compte les A

Si tu as 1 ou 2 A, tu n'es pas un bon copain.
Si tu as 3 ou 4 A, tu es un bon copain.
Si tu as 5 A, tu es un très bon copain.

Nos petites dents

J'ai une dent, une petite dent,
Tombée ce matin, en me réveillant.
J'ai une dent, une petite dent,
Tombée ce matin, il y a un trou maintenant!

J'ai un sourire de vieille sorcière,
J'ai une bouche sans dents.
Quand j'ouvre la bouche, je ne suis pas fière,
Il y a un trou devant!

Nous avons de petites dents.
Il faut les brosser, derrière et devant.
Oui, nous nous brossons les dents
Quand elles sont lavées, on ne voit que du blanc!

J'ai un sourire de vieille sorcière,
J'ai une bouche sans dents.
Quand j'ouvre la bouche, je ne suis pas fière,
Il y a un trou devant!

Qu'est-ce qui fait mal aux dents ?

DÉPART	eau **1**	œufs **2**	chocolat **3**	miel MIEL **4**
radis **13**	salade **14**	frites **15**	fromage **16**	poisson **5**
glace **12**	ARRIVÉE	chewing-gum **18**	LAIT lait **17**	gâteau **6**
confiture **11**	haricots verts **10**	crêpes **9**	bonbons **8**	poulet **7**

— Pierre n'est pas là ?
— Non, il est chez le
dentiste.

— Tu sais, la dent de
Barbara est tombée.
— Mon frère aussi, il a un
trou devant. Ça ne fait
pas mal.

— Dis maîtresse, pourquoi
elles tombent les dents
quand on est petit ?

— Et pourquoi on a mal
aux dents ?

— Moi, je sais : les dents tombent parce qu'on mange
trop de bonbons !
— Mais non, menteur ! Moi, je mange des bonbons et
mes dents ne tombent pas !

— Elles tombent parce
qu'on ne se lave pas
bien les dents !
— Ce n'est pas vrai !

comme lui
lavez-vous
les dents

Rr 𝓇 Sss Ttt Uuu Vvv

- Pourquoi les dents des enfants
tombent ?
- Est-ce qu'elles tombent parce que
les enfants mangent des bonbons ?
- Est-ce qu'elles tombent parce que
les enfants ne se lavent pas bien
les dents ?
- Pourquoi les enfa

— Écoutez, nous allons chercher ensemble
dans les livres. Commencez à lire.
Moi, j'écris vos questions au tableau.

La farandole

C'est bientôt la fête de l'école,
La la la la la la la la la lère
C'est bientôt la fête de l'école!
On va chanter, on va rire et danser.

C'est bientôt la fête de l'école,
La la la la la la la la la lère
C'est bientôt la fête de l'école!
On va jouer, s'amuser et manger.

C'est bientôt la fête de l'école,
La la la la la la la la la lère
C'est bientôt la fête de l'école!
Venez les amis, on va s'amuser.

C'est demain la fête de l'école,
La la la la la la la la la lère
C'est demain la fête de l'école!
N'oubliez pas car on sera tous là.

GRANDE FÊTE DE L'ÉCOLE

EXPOSITION

Des marionnettes et des dessins faits par les enfants.

SPECTACLE

Des chansons, des rondes, des histoires et des marionnettes.

KERMESSE

Venez tous jouer avec nous et manger des gâteaux!

ATTENTION !
GRAND JEU DE QUILLES
(pour les petits et pour les grands)

Le grand livre des fées

cinquante-huit

Le petit chat Orange

Le petit chat Orange

J'ai un petit chat,
Petit comme ça
Il s'appelle Orange.
Je ne sais pourquoi
Jamais il ne mange
Ni souris ni rat.
C'est un chat étrange
Aimant le nougat et le chocolat.
Mais c'est pour cela,
Dit tante Solange,
Qu'il ne grandit pas!

© Fondation Maurice Carême

Vouloir

DÉPART

Caen

Brest

Rennes

Nantes

Po

Bordeaux

Cécile

Romain

62

our de France

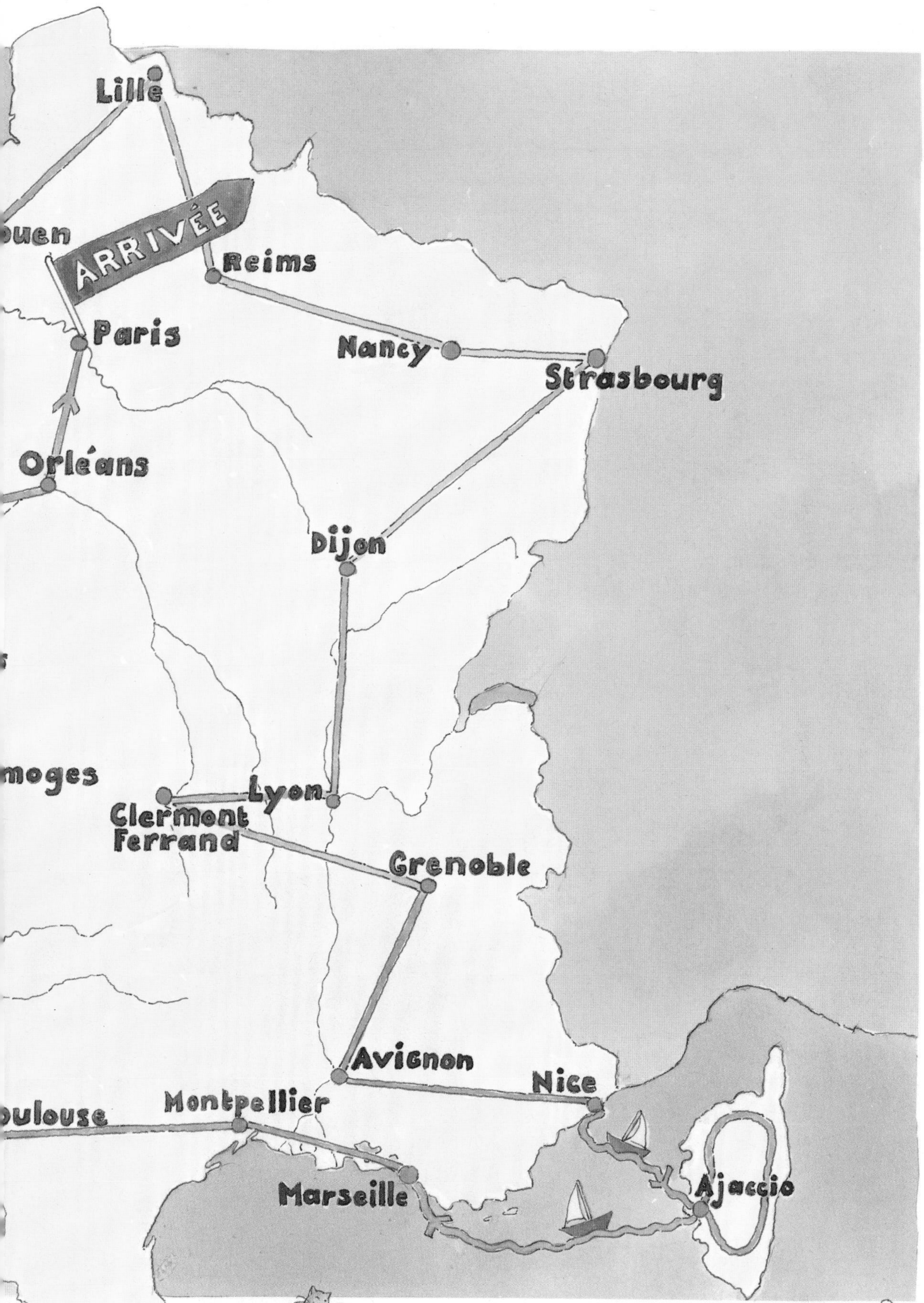
Lille
ouen
ARRIVÉE
Reims
Paris
Nancy
Strasbourg
Orléans
Dijon
moges
Lyon
Clermont
Ferrand
Grenoble
Avignon
Nice
Montpellier
oulouse
Marseille
Ajaccio

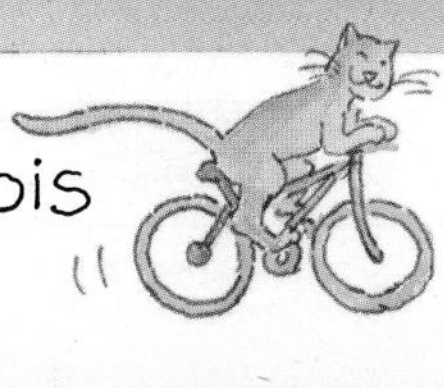

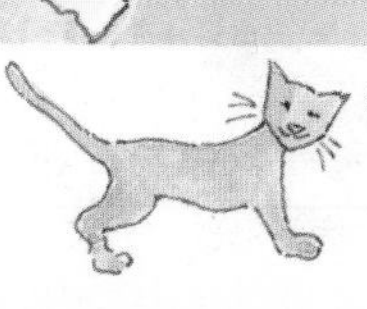

À l'école

Le bonhomme

C'est bientôt Noël

Les marionnettes

Un chien à l'école

La dispute

La fête de l'école

Petit escargot

Petit escargot
Porte sur son dos
Sa maisonnette.
Aussitôt qu'il pleut,
Il est tout heureux.
Il sort sa tête.

Le rock and roll des gallinacés

Dans ma basse-cour, il y a
Des poules, des dindons, des oies.
Il y a même des canards
Qui barbotent dans la mare.
Cot cot cot codet
Cot cot cot codet
Cot cot cot codet
Rock and roll des gallinacés.

Une souris verte

Une souris verte
Se cache dans l'herbe.
Je l'attrape par la queue,
Je la montre à ces messieurs.
Ces messieurs me disent :
« Trempez-la dans l'huile,
Trempez-la dans l'eau,
Ça fera un escargot tout chaud ! »

La fermière

C'est l'histoire d'une fermière
Qui s'en va au marché.
Elle porte sur sa tête
Trois pommes dans un panier.
Les pommes font rouli rouli !
Les pommes font rouli roula !
Trois pas en avant,
Trois pas en arrière,
Trois pas sur le côté,
Trois pas de l'autre côté.

Tu peux continuer la chanson en ajoutant une pomme chaque
fois : (...) « Elle porte sur sa tête *quatre* pommes (...) »

Chanson pour les enfants l'hiver

Dans la nuit de l'hiver
galope un grand homme blanc
galope un grand homme blanc

C'est un bonhomme de neige
avec une pipe en bois
un grand bonhomme de neige
poursuivi par le froid [...]

Jacques Prévert.
Histoires
Éd. Gallimard

Bonjour lundi,
Comment va mardi?
Très bien mercredi.
Dis à jeudi
De venir vendredi
Danser avec samedi
Chez dimanche

Les chapeaux

Je mets mon chapeau noir
Pour sortir le soir.
Je mets mon chapeau blanc
Quand il y a du vent.
Je mets mon chapeau bleu
Pour sortir quand il pleut.
Et si je n'ai pas de chapeau,
C'est qu'il fait bien trop chaud.

Il est minuit

Il est minuit.
Qui l'a dit?
La petite souris.
Que fait-elle?
Elle joue à la marelle
Tous les lundis.

Jouer

Aller

Comment dire ?

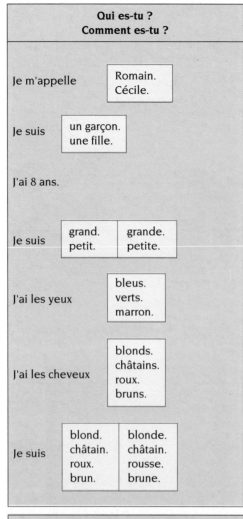

Qui es-tu ?
Comment es-tu ?

Je m'appelle | Romain. / Cécile.

Je suis | un garçon. / une fille.

J'ai 8 ans.

Je suis | grand. petit. | grande. petite.

J'ai les yeux | bleus. verts. marron.

J'ai les cheveux | blonds. châtains. roux. bruns.

Je suis | blond. châtain. roux. brun. | blonde. châtain. rousse. brune.

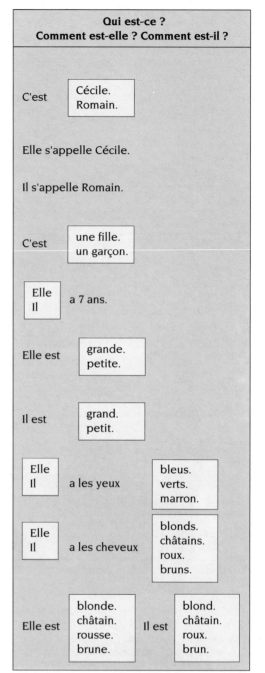

Qui est-ce ?
Comment est-elle ? Comment est-il ?

C'est | Cécile. / Romain.

Elle s'appelle Cécile.

Il s'appelle Romain.

C'est | une fille. / un garçon.

Elle / Il | a 7 ans.

Elle est | grande. petite.

Il est | grand. petit.

Elle / Il | a les yeux | bleus. verts. marron.

Elle / Il | a les cheveux | blonds. châtains. roux. bruns.

Elle est | blonde. châtain. rousse. brune. | Il est | blond. châtain. roux. brun.

Sais-tu dire ce que tu aimes et ce que tu n'aimes pas ?

J'aime ça. Je n'aime pas ça.
J'aime le lait. J'adore les gâteaux.
Je préfère le chocolat.
J'aime beaucoup les chats.
Je n'aime pas les chiens.
J'aime lire.
J'aime mieux jouer.

Sais-tu dire avec l'intonation qui convient ?

Que c'est beau !	J'adore les crêpes !	Génial !
Ce qu'il est beau, ton cadeau !	Super !	Oh, une nouvelle voiture !
Qu'il est beau !	Qu'elle est belle, ta robe !	C'est bien ça !
Non, non, non, non, non !	Ah non !	Menteur ! Menteuse !
Ce n'est pas vrai !		

Je veux fabriquer quelque chose :

Je prends une cuillère.	Je découpe des morceaux de laine.
Je décore	Je prépare aussi de la laine et des ciseaux.
Je les colle	Si je veux, je peux décorer...

Tu dis à quelqu'un de fabriquer quelque chose :

D'abord, il faut prendre une feuille.
Il faut aussi des feutres.
Vous prenez aussi de la colle.
Après, tu découpes.
Colle ensuite.
On peut coller.
Après, tu peux décorer.

Les mélanges de couleurs :

1. Il faut mélanger du bleu et du jaune pour faire du vert.
2. Je mets du rouge et du jaune pour avoir du orange.
3. On ajoute du blanc dans du rouge pour préparer du rose.
4. Mets ensemble du bleu et du rouge pour avoir du violet.

Tu veux jouer avec un copain ou une copine. Tu peux lui dire :

Je peux jouer avec toi ?
Je voudrais jouer aux quilles, moi aussi.
On peut jouer ensemble ?
Tu veux bien jouer avec moi ?
Et si on jouait ensemble ?
Tu joues ?
On joue ?

Si tu te disputes avec quelqu'un :

J'en ai assez !
Non, je ne suis pas d'accord.

Tu es | méchant !
méchante !
bête !

Non, | menteur !
menteuse

Ce n'est pas vrai !

Tu n'es plus | mon copain.
ma copine.

Ça va ?

Oui, ça va bien, merci.
Ma dent est tombée.
Ça ne fait pas mal.
Je n'ai pas mal.

J'ai mal	aux	dents pieds
	à la	tête main
	au	ventre genou
J'ai	le bras cassé. la jambe cassée.	

Retrouve dans le livre ces petits mots :

ah	unités 5, 8, 11
ah oui	unités 12, 19
aïe, aïe !	unité 5
alors	unité 13
ben	unités 8, 9,10
bon	unités 8, 9, 17, 20
brr	unité 11
chut	unité 9
eh	unité 9
et pourquoi	unité 18
heu	unité 16
mm	unité 13
mais	unités 5, 9, 14, 15, 18, 20
oh	unités 8, 15, 16
oh la la	unités 15, 20
oh non	unité 15
tiens	unités 5, 9, 10
voyons	unité 15
youpi	unité 4
zut	unités 10, 14

À qui est-ce ?

• Qui a le manteau rouge ?
• – À qui est cette baguette magique ?
   – À Cécile ! ... Oui, c'est sa baguette de fée.
   – C'est vrai, elle est à moi, c'est ma baguette.
• – Et ce chapeau vert, à qui est-il ?
   – Il est à Romain.
   – Romain, il est à toi, ce chapeau de clown ?
   – Oui, oui ! C'est mon chapeau.
   – Non, menteur, c'est le chapeau de Mourad !

Quand je veux avoir ou faire quelque chose ...

– Je peux prendre un chocolat ?
– J'ai faim.
– Qu'est-ce qu'il y a à manger ?
– Est-ce qu'on peut manger quelque chose ?

– Et si on mangeait ?
– Je voudrais un feutre, s'il te plaît.
– Tu me prêtes ton livre ?
– Est-ce que je peux mettre ton pull ?

Unités	Objectifs communicationnels	Objectifs linguistiques	Lexique
Unité 1 Salut les amis ! pages 3 à 9	• Saluer	Reconnaître la langue française à l'oral et à l'écrit	bonjour salut madame monsieur
Unité 2 À l'école pages 10-11	• Se présenter • Demander à quelqu'un de se présenter • Dire son âge	Interrogations : Comment... ? Quel/Quelle... ? Localisation : dans Négation : ne ... pas Avoir, être : présent (je, tu) S'appeler : présent (je, tu, il, elle) Savoir : présent (je)	les présentations une classe un copain, une copine les nombres de 1 à 12
Unité 3 La toupie pages 12-13	• Expliquer comment faire un objet • Donner des consignes	Il faut + infinitif Pour + infinitif Impératif (1ʳᵉ pers., singulier et 2ᵉ pers., pluriel) Comprendre : présent (je)	les couleurs les consignes et le matériel scolaire attention s'il te plaît voici
Unité 4 Le bonhomme pages 14-15	• Exprimer sa joie • Annoncer ce qu'on va faire • S'excuser	Interrogation : Qu'est-ce que... ? Localisation : sous, ici Il y a...	le corps humain les consignes scolaires merci pardon voilà youpi
Unité 5 Le coin des surprises pages 16 à 21	Révision Réflexion grammaticale : pronoms personnels sujet : il/elle – ils/elles		
Unité 6 Le goûter pages 22 à 23	• Proposer • Accepter • Refuser • Remercier	Interrogation : Qu'est-ce que... ? Partitif : du, de la C'est + partitif + déterminant + nom Pronoms personnels d'insistance : moi, toi Avoir faim : présent (tu, on) Vouloir : { présent (je, tu, vous) { conditionnel présent (je)	les aliments du goûter autre chose
Unité 7 Comment es-tu habillé ? pages 24-25	• Proposer • Refuser • Exprimer la relation cause/conséquence • Exprimer du regret	Interrogation : Pourquoi... ? Explication : parce que... Adjectifs possessifs : mon, ma, mes Venir + infinitif : tu viens jouer ?	les vêtements c'est dommage pleuvoir : il pleut la pluie se mouiller

Unités	Objectifs communicationnels	Objectifs linguistiques	Lexique
Unité 8 L'anniversaire pages 26-27	• Proposer • Exprimer sa satisfaction • Exprimer ses goûts • Souhaiter un anniversaire	Exclamation : Que...! Localisation : chez + prénom Impératif (1re pers., singulier et 2e pers., pluriel)	la fête d'anniversaire voilà vite
Unité 9 C'est bientôt Noël pages 28-29	• Exprimer sa surprise sa joie ses goûts • Proposer • Accepter	Interrogation : Comment est-ce que... ? Exclamation Localisation : sur, en haut, en bas Pronom personnel objet : le On peut + infinitif Décorer : futur proche (on)	les décorations et la fête de Noël bientôt d'accord ensemble maintenant s'il vous plaît
Unité 10 Le coin des surprises pages 30 à 35	Réflexion grammaticale : pronoms personnels sujet et objet	Révision	
Unité 11 Il pleut pages 36-37	• Avertir • Conseiller quelqu'un • Exprimer ses goûts • Décrire le temps météorologique	Interrogation : qui... ? Il faut + infinitif Impératif + si + présent Faire : présent, emploi impersonnel : il fait chaud/froid/beau Pleuvoir, neiger : présent	la météo facile s'asseoir se dépêcher
Unité 12 Les marionnettes pages 38-39	• Décrire, caractériser quelqu'un • Argumenter, expliquer	Interrogation : Où... ? Localisation : partout, devant C'est Ce n'est pas + déterminant + nom + parce que Accord des adjectifs (genre et nombre)	les caractéristiques physiques aujourd'hui bien chercher montrer regarder se placer
Unité 13 Le carnaval à l'école pages 40-41	• Exprimer ses goûts • Exprimer la possession • Demander des informations sur la tenue vestimentaire de quelqu'un	Interrogation : Comment... ? À qui... ? Possession : C'est le/la + nom + de + prénom Se déguiser / être déguisé en Futur proche (nous)	la fête du carnaval adorer aimer alors oublier préférer
Unité 14 Un chien à l'école pages 42-43	• Décrire et caractériser un animal • Demander des informations sur les animaux • Faire une plaisanterie	Qui (pronom relatif)	les caractéristiques psychologiques les animaux arrêter .../...

Unités	Objectifs communicationnels	Objectifs linguistiques	Lexique
Unité 14 Un chien à l'école pages 42-43			enfin le matin stop
Unité 15 Le coin des surprises pages 44 à 49	Révision Réflexion grammaticale : Accord des déterminants, noms et adjectifs (genre et nombre)		
Unité 16 Un jardin dans la classe pages 50-51	• Comparer • Donner des consignes • Exprimer son choix	Interrogation : Qu'est-ce que... ? Comparatif : plus...que Superlatif : { le + plus + adjectif / la / les } Adjectif possessif : ses Choisir, lire, prendre, vouloir : présent (vous)	le jardinage choisir
Unité 17 La dispute pages 52-53	• Exprimer, de manière conflictuelle ses sentiments et son désaccord	Négation : ne...plus Prêter quelque chose à quelqu'un : { présent (je, tu, il) / impératif (1re personne, singulier) } Trop + adjectif	le conflit autre d'abord toujours
Unité 18 Le secret des dents pages 54-55	• Demander et donner des informations, des explications • Réfuter une information • Exprimer la quantité	Localisation : { chez + déterminant + nom / derrière, là } Avoir mal à la/au/aux : présent (je, tu, on) Faire mal : ça ne fait pas mal Se laver : présent (je, tu) Comme lui / comme elle Trop de + nom	les dents menteur sans
Unité 19 La fête de l'école pages 56-57	• Proposer • Accepter • Refuser	Conditionnel présent (on) : { pouvoir + infinitif / vouloir + infinitif } et si on { chantait ? apportait... ? mangeait ? coupait ? dansait ? }	la préparation d'une fête une idée réviser
Unité 20 Le coin des surprises pages 58 à 64	Révision Observation grammaticale : vouloir (présent)		

Aubin Imprimeur
LIGUGÉ, POITIERS

Achevé d'imprimer en mars 2004
N° d'impression P 66572
Dépôt légal mars 2004 // Imprimé en France
4196/14